KB096635

시스투스의 꽃말

시스투스의 꽃말

단비

프롤로그

뱉으면 주워 담을 새 없이 증발하는 말보다 글이 더 편하다. 잡념이 많은 내게 말은 언제나 실수를 남겼지만, 글은 쉬어 갈 틈을 주었기 때문이다. 매일 밤 일기를 쓰는 습관이 생긴 것도 이 때문이다. 하지만 다음 순서가 집필일 줄 몰랐다. 글로써 마음을 전하거나 속에 묵힌 감정을 나열할 줄만 알았지, 불특정 다수 앞에 내보인 적 없었기 때문이다.

2023년, 많은 고민 끝에 「덕분에 더 나은 사람이 되었어」 공동 저자가 되었다. 내 경험을 짧은 에세이로 풀어내는 게 참 즐거웠다. 물론 분량이나 일정이 어느 정도 정해진 상황이라 부담도 적었다. 동료들과 함께하니 제목처럼 덕분에 더 나은 사람이 되었다. 부족한 글솜씨가 드러나면 어떤가. 각고의 노력 끝에 태어난 글은 지금까지도, 앞으로도 없을 나의 첫째가 되었다. 뿌듯했다. 이때 많은 도움을 주신 양기연 작가님께 다시 한번 감사를 표한다.

첫발을 뗀 이후 글을 쓰자는 마음이 확고해졌다. 그렇게 감히 소설에 몸을 던졌다. 메모장을 뒤적여 〈시스투스의 꽃말〉, 〈사라지는 세상〉, 〈어항 밖 물고기〉 소재를 꺼내 들었고, '열심히' 하면 될 거라 믿어 의심치 않았다. 첫 단독 출판이 확정된 이후 글쓰기에 몰두했고, 마음에 들지 않으면 과감히 원점으로 돌아갔다. 그런데 이 과정을 여러 번 반복하다 보니 처음으로 선불렀다는 생각이 들었다. 나는 너무 초보이고, 아직 배워야 할 부분이 많았다. 이대로 완주를 못 할지도 모른다는 불안감에 휩싸이기도 했다.

이때 우연히 홀쭉한 초승달을 눈에 담았다. 한없이 불완전해 보이는 초승달은 영어로 'New moon'이다. 이 단어를 우연히 머금었을 때 나는 꽉 찬 보름달만이 완전하다고 통용되는 세상 속에서 그의 반대말 불완전함이 아닌 새로움으로 정의할 수 있어 좋았다. 나 또한 불완전하기에 어쩌면 이런 단어 하나에 나를 투영했던 것인지도 모르겠다. 「시스투스의 꽃말」을 위해 힘든 순간이 없었다면 거짓말이지만 주인공의 결함을 만들고 그 결함을 딛는 모습을, 기어이 성장하고야 마는 모습을 그려내면서 나도 주인공과 같이 성장하는 기분이 들었다. 이 책에는 여물지 못한 인물들의 상실과 아픔, 경험과 성장이 주(主)다. 나를 이루는 다양한 조각 중 하나쯤은 반영됐을 것이다. 어설픈 첫사랑이 마치 이 책과 닮았다. 아마 간간이 꺼내보면 조금은 기분 좋고, 조금은 쑥스럽고, 조금은 후회하겠지. 처음이어서, 첫 단독 출판이어서 가능했던 감정을 고이 담는다. 미성숙하고 부족한 나의 첫사랑 같은 책을 여러분도 따스하게 바라봐 주시면 좋겠다.

끝으로 마음을 표현할 기회가 언제일지 몰라 덧붙입니다. 언제나 내 편인 엄마 고맙고 사랑합니다. 든든히 곁을 지켜준 수민, 지수, 민경, 성진, Mashiro, Nao, 삽화 수림 님까지

- 작가 난비

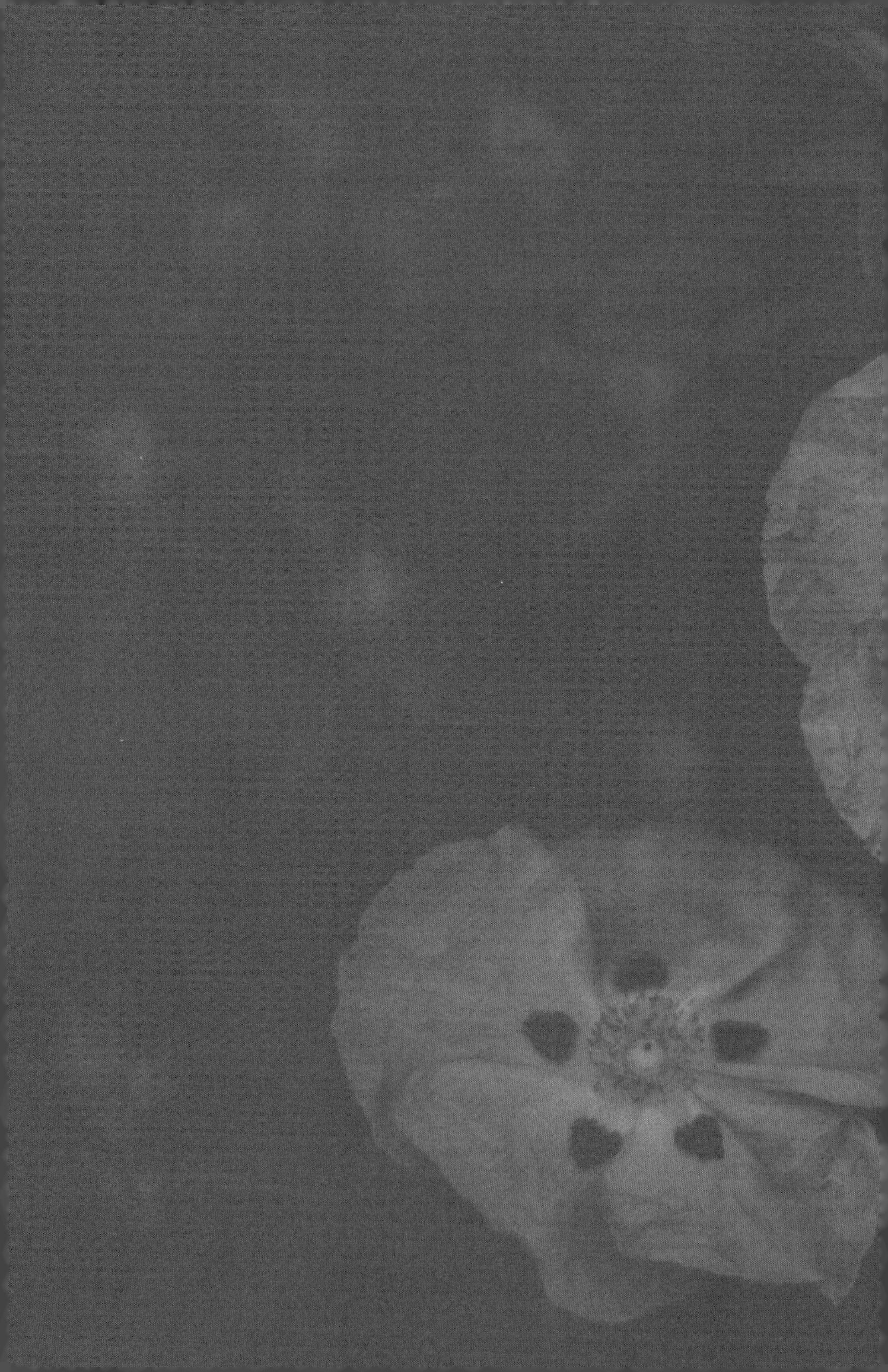

차 례

1장

사라지는 세상

∞

내가 '이곳'에서 깨어났을 때는 이미 이름 외 모든 기억은 상실한 상태였다. 눈을 뜨자마자 밀려오는 두통으로 머리가 쪼개지는 듯했다. 머리를 감싸 쥐고 울음 섞인 고함을 질러도 주변은 고요할 뿐이다. 어찌할 바를 몰라 구르고 또 구르는 동안 강렬한 태양 빛을 머금고 뜨거워진 모래알이 검은 와이셔츠 안으로 한가득 흘러들어왔다. 고통이 썰물처럼 빠져나갈 무렵이 되어서야 이곳의 풍경을 눈에 담을 수 있었다. 어지러운 시야에 들어온 하늘은 떠다니는 구름 한 점, 날아가는 새 한 마리 없이 깨끗했다. 끝없이 펼쳐진 모래벌판마저 지형지물이나 하다못해 지나는 개미 한 마리 없었다. 그 한가운데에서 나는 상, 하의 모두 검은 옷을 입은 채였다. 모래가 잔뜩 묻은 발을 매만지며 주위를 둘러보자 깔끔한 단화 두 짝이 모래 위를 뒹굴고 있었다. 아까의 몸부림으로 벗겨진 듯하다. 무릎으로 걸어가 모래를 털어내는데 단화마저 검은색이었다.

단화를 주워 신고 모래 위를 몇 걸음 걸어보았다. 애석하게도 광활한 평야의 지평선만이 이곳이 존재함을 깨닫게 했다. 어쩌다 이런 곳에서 깨어난 걸까. 아무것도 없는 하늘과 땅을 보고 있으면서도 이상하게 무섭다는 생각은 들지 않았다. 방향조차 알지 못한 상태로 걷게 되었다. 건조한 공기와 높은 온도가 만나 한 걸음을 뗄 때마다 숨이 막혀왔다. 온몸이 타들어 갈 것만 같이 뜨거웠으나, 식별할 사물도 인적도 없는 이곳에서 걷는 것 외 다른 선택지는 없었다.

'신 유'를 만난 것은 그로부터 한참이 지난 후였다. 나는 무작정 걸으며 고민하고 있었다. 왜 하필 태양 아래 검은 와이셔츠를 입고 눈을 떴는지, 셔츠의 단추는 왜 이렇게 풀리지 않는지 따위의. 땀으로 범벅이 된 검은 와이셔츠의 단추를 반쯤 풀다 주저앉았을 땐 차라리 옷을 벗어 던질까, 하는 충동도 들었다.

"이번엔 남자네."

처음 보는 여자가 나를 빤히 바라보며 그렇게 말했다. 언제부터 그 자리에 있었나 짐작조차 되지 않았다. 옷을 벗어 던지지 않았음에 안도하며 여자와 시선을 마주했다. 신기하리만치 새까만 눈동자를 가진 그녀의 눈에 깊게 서린 이채가 올곧게 나를 향해 있었다. 턱 끝까지 떨어지는 머리칼은 눈동자만큼이나 검게 빛나 햇빛에 반사되어 반짝였고, 목에는 '8' 모양의 은색 펜던트가 달랑였다. 신 유라고 짧은 소개를 마친 그녀는 물통을 내밀었다. 옷소매 아래로 내비친 팔뚝이 유난히 가냘프다. 더위에 허덕이던 와중 물은 달디단 오아시스를 방불케 했다. 낯선 상황 속 유를 따르기로 한 그 순간 운명이라고 생각했을지도 모르겠다.

사방이 모래인 이곳에서 유는 묵묵히 걸었다. 그 뒷모습을 좇았다. 시간 가는 줄 모르고 걷기만 하는 행위는 같았으나, 길잡이의 유무가 걷고자 하는 의지에 기여도를 달리했다.

점점 더위에 녹아내려 힘이 빠질 무렵 저 멀리서 동네의 형상이 드러났다. 아무것도 없던 이곳에 생뚱맞게 나타난 동네는 흙으로 만들어진 조막만 한 집이 불규칙하게 모여 끝없이 늘어져 있다. 모래벌판과 대조되면서도 자연스럽게 조화를 이루는 모습이 해안가에 지어진 모래성 같기도 했다. 가장자리가 각지고 네모꼴인 흙집은 툭 치면 바스러질 듯 위태롭게 느껴졌으나 가까이 다가갈수록 견고함이 느껴졌다. 작은 흙집은 이곳에서 각자의 영역을 제공하고 수용하는 보금자리였다. 나는 부산히 움직이는 사람들 속에서 부딪히지 않기 위해 부단히 애를 쓰며 유를 따라가기 바빴다. 유는 그 모습이 익숙한 듯 태연하게 길을 누비더니 어느 집 앞에 멈춰 섰다.

"여기서 생활하면 돼."

유가 소개한 집의 내부는 예상보다 훨씬 좁았다. 가구는 침대 하나가 전부이고, 침대를 제외한 공간은 성인 두 명이 누우면 비좁을 것 같았다. 손을 뻗으면 천장에 닿으니 높이는 이 미터쯤이었다. 오래 걸은 탓에 피곤했던 걸까, 침대에 누워 벽의 까칠한 질감을 손끝으로 느끼다 기절하듯 잠에 들었다. 좁은 집 안에서 그렇게 '이곳'의 구성원이 되었다.

이곳 생활은 똑같이 흘러갔다. 이곳 사람들은 정말이지 끊임없이 움직였다. 집은 충분히 차고 넘쳤다. 하지만 이정도 양의 집으로는 부족한지 매일 새로운 흙집을 지어야 했다. 물을 끌어오고, 무너진 집을 보수하고, 새로운 집을 짓기 위해 모래를 퍼 나르는 과정이 반복되었다. 모두가 주어진 일은 당연하게 수행했다. 또 자정이면 스위치가 꺼지듯 당연하게 잠에 들었다. 원래 그런 세상이니까, 처음에는 텅 빈 눈으로 매일 같은 일을 수행하는 그들이 낯설게 느껴졌지만 얼마 지나지 않아 나도 마찬가지로 그들과 똑같이 생각하고 행동했다. 대화는 세 마디 이상 이어지지 않았으며, 반복되는 작업은 단순하기에 그지없었다. 그런 와중 유일하게 사람들과 안부를 나누며 주어진 일에 열성을 다하는 유는 별처럼 빛났다. 사람을 대하는 것도, 이곳의 일을 이끄는 것도 능숙했다. 잿빛 세상에서 유일하게 색을 품은 듯했고, 함께하는 일상은 유일한 색이 주는 행복이었다. 그러나 유가 있어도 이곳 생활이 늘 온전하지는 못했다. 간헐적으로 부는 모래 폭풍 때문이었다. 모래 폭풍은 워낙 대중없어서 그 주기가 얼마나 되는지 짐작할 수 없었다. 모래 폭풍으로 초토화된 도시가 재정비를 마치기도 전에 불어온다는 것 정도만 알 수 있었다. 도시에서 모래바람이 닿지 않는 곳이 없었고, 매우 방대한 그것은 도시 전체를 휩싸고 뒤흔들 위력을 지녔다.

며칠 전 불었던 모래 폭풍으로 많은 곳이 황폐해졌다. 나와 유를 포함한 사람들이 휩쓸린 집과 거리를 복원하기 위해 모였다. 그러나 중장비를 담당해 모래를 퍼 나르던 아이가 보이지 않았다. 사라진 것이다. 이곳 사람들은 이렇게 갑자기 사라지곤 했다. 오늘 대화를 나누고 물을 마시던 사람이 다음 날 사라지고 없었다. 이곳 사람들이 최소한의 대화만 하고, 정을 나누지 않는 이유이기도 했다. 원래 없던 사람처럼 흔적도 없이 증발했다. 특히 모래 폭풍의 여파로 경황이 없을 때 사라진 사람에게는 더욱 무감할 수밖에 없었다.

"원태영, 오늘은 네가 기계를 다뤄야겠다."

사라진 아이 대신 내가 중기계에 올라탔다. 익숙하게 안전 레버를 내린 뒤 방향을 조절하는 레버 두 개를 동시에 뒤로 당겨 후진하고, 스틱을 이용해 모래를 퍼서 나르기를 반복했다. 등 떠밀려 앉게 된 자리지만 수년에 걸친 유의 가르침 덕에 몸이 알아서 움직였다. 유는 사람들과 함께 모래에 물을 끼얹어 진흙으로 만들어 냈다. 눈이 마주친 그녀가 해사하게 웃는 모습을 눈에 담았다.

∞

유는 처음 이곳에 온 나에게 조심하라는 말을 자주 했다. 처음 모래 폭풍에 대해 들었을 때는 당연히 믿지 않았다. 하지만 실제로 도시를 집어삼키는 모습을 보자 도와달라는 말이 절로 나왔다. 안타깝게도 무시무시한 모래 폭풍을 어떻게 조심해야 하는지 아는 이는 아무도 없었다. 그나마 아는 것이라곤 모래 폭풍은 단 한 번도 연달아 불어온 적 없나는 사실 정도다. 그래도 유는 늘 조심하라고 당부했다. 나도 입버릇처럼 유에게 조심하라는 말을 건넸다.

모래 폭풍이 도시를 뒤덮었고 마을에는 자욱한 안개만이 남았다. 다음 날 아침, 남은 주민들은 아무 동요 없이 비어버린 집을 확인하고 청소했다. 그러나 모래 폭풍은 어제에 이어 이틀 연속 불어왔다. 전례 없는 상황에 일을 하고 휴식을 취하던 모두가 허둥대며 천막 아래로, 가까운 집으로 숨기 바빴다. 유의 손을 잡고 가까스로 집에 들어갔을 때, 모래 폭풍은 무섭게 우리를 덮쳤다. 한 치 앞도 분간할 수 없이 불어오는 짙은 모래바람 속에서 내가 할 수 있는 것은 유를 품에 안고 그것이 조금이라도 빨리 지나가길 바라는 것뿐이었다. 어느새 나에게 유는 이곳에서 가장 지키고 싶은 존재가 되었다.

"괜찮아?"

품속의 유가 고개를 끄덕였다. 유의 상태가 어떤지 눈을 뜨고 얼굴을 확인하고 싶었다. 그러나 조금 전 한마디로 입안을 가득 채운 모래가 눈을 더욱 질끈 감도록 만들었다. 이상하다. 방금까지 품속에서 고개를 끄덕인 유가 끝없이 작아지는 것 같았다. 힘주어 끌어안을수록 더욱… 도무지 불안한 마음이 진정되지 않았다. 점점 모래바람에 살갗이 부딪히는 빈도가 줄어들었고, 바람이 사그라들 기미가 보여 눈을 게슴츠레하게 떴다. 코앞에 보이는 까맣고 조그만 정수리는 안도할 새도 없이 그대로 모래처럼 바스러졌다.

"유야!"

유의 감촉이 아직도 생경했다. 가슴께에 닿던 이마와 허리를 껴안은 팔까지 말이다. 여태껏 유는 내 곁에서 사라지지 않으리라 믿었다. 하지만 사라지는 이유가 모래 폭풍에 의한다면 다르다. 유가 사라진 자리에서 치고 있는 회오리바람이 나의 착각이 얼마나 어리석었는지 보여주었다. 그것은 마치 유인 것을 증명이라도 하듯 작고, 정도가 미약했다. 자욱하게 남은 안개가 아무 일도 없었다는 듯 흔적을 지우려 했지만, 작디작은 모래 알갱이가 모여 회전하는 모습을 두 눈에 담았다. 허탈한 정도를 이루 말할 수 없다. 집안을 가득 채운 안개와 흐르는 눈물이 시야를 가렸다. 때문에 유를 삼킨 회오리가 뿌옇게 보였다. 그러나 눈이 따가워도 감으면 이대로 사라질 듯 해 손부터 뻗었다. 뻗은 손끝에 닿기도 전에 회오리는 순식간에 바람이 되었다. 위아래, 좌우로 요동치던 바람이 닫힌 문을 통과하여 나가버렸고 이내 주위는 순식간에 잠잠해졌다. 맥이 풀린 내가 제멋대로 휘청였다. 벽을 짚고 중심을 잡던 내 발치에 익숙한 물건이 떨어져 있었다. 처음 만난 그때부터 유의 목에서 빛나던 목걸이다.

나는 목걸이를 쥔 순간 밖으로 사라진 회오리바람을 따라나섰다. 방금 본 것과 비슷한 작은 회오리가 수많은 곳에서 별똥별처럼 날아오고 있었다. 날아온 회오리는 어느새 모래바람과 한 몸이 되었다. 더 이상 회오리가 날아오지 않을 때까지 기다리던 모래바람은 거내해신 놈집으로 다시 움직이기 시작했다. 망연히 바라보는 나를 비웃기라도 하듯. 움직이는 모래바람을 보며 함께 뛰었다. 유가 갇혀있을지도 모른다는 생각이 들었다. 한 방향으로 나아가는 모래바람이 속력을 낼수록 덩달아 마음이 급해졌다. 발이 푹푹 빠지는 모래벌판을 전속력으로 달리기란 쉽지 않았다. 뛰어오느라 신발도 신지 못했지만, 맨발로 뛰고 있다는 사실을 인지할 만큼 여유롭지 못했다. 이렇게 하지 않으면 유는 평생 지독한 모래바람에 갇히고 말 테니까. 오직 유를 구해야 한다는 일념으로 정신없이 내달렸다. 달리는 내내 수많은 얼굴이 떠오르고 사라지길 반복했다.

사람들이 사라지는 것은 알고 있었다. 바로 전날까지 모래를 퍼다 나르던 아이가, 아침마다 물을 챙겨주던 아주머니가, 늘 큰소리로 모래폭풍을 알리던 할아버지가 사라졌다. 그래도 신경 쓰지 않았다. 나하고 관련 없는 일이라고 여겼다. 곁에는 항상 유가 있었기 때문에. 이제야 사라진 이들의 이름조차 모르고 이곳에서 생활해 왔다는 사실이 사무쳤다. 해사하게 웃던 유는 나의 많은 부분을 흔들어 놓았다.

따라잡을 만하면 멀어지는 모래바람을 뒤따르던 내 눈앞에 땅끝이 보였다. 드넓은 모래벌판에 끝이 있다는 건 상상치도 못 한 일이었다. 나는 땅끝에서 멈춰 섰고, 모래바람은 땅이 끝나는 지점에서 좀 더 나아가다 공중에 멈췄다. 턱 끝까지 차오른 숨을 허무하게 뱉었다. 더 이상 좇을 수 없다는 생각이 들자, 다리에 힘이 풀렸다. 지금까지 좇아온 건 헛수고였나. 모래바람은 더 이상 나아가지 않고 여전히 그 자리에 멈춰 있었다. 몸에 있는 장기를 전부 토해내듯 차오른 숨을 내뱉고, 새로운 숨을 폐부 깊숙이 욱여넣었다. 호흡을 가다듬으면서도 모래바람을 끝까지 눈으로 응시했다. 멈춰있던 모래바람은 조금씩 움찔거리더니 회오리를 일으켰다. 빠르게 움직이며 몸집을 부풀리던 회오리바람에서 이내 씨앗이 쏟아져 나왔다.

"유야, 유야!"

애타게 불렀지만, 폭우처럼 쏟아지는 씨앗이 대답을 해줄 리 없었다. 소용돌이에서 태어난 씨앗들은 음악에 맞춰 춤을 추듯 나풀댔다. 그녀를 다시는 볼 수 없을 것 같다는 예감이 확신으로 변하는 순간이었다. 안돼, 뿌려진 씨앗이 어디로 내려앉는지 그 정착지를 두 눈으로 확인하고 싶었다. 그렇게 벌벌 떨리는 손과 무릎을 딛고 기어서 땅끝에 도달했다. 땅이 끝나는 지점 아래는 가파른 절벽이, 그 너머는 이곳과 전혀 다른 세상이 펼쳐져 있었다.

그 세상을 눈에 담자, 무수하게 많은 장면이 플래시처럼 터지며 두통이 일었다. 처음 이곳에서 눈을 뜬 직후 겪은 두통과 비슷한 것이었다. 두통에 몸부림치며 끊임없이 교차해 나타나는 장면을 고스란히 지켜보았다. 마지막으로 떠오른 장면은 코앞까지 다가온 차의 모습이었다. 쾅, 하는 소리와 함께 머릿속이 암전되고 알 수 있었다. 나는 죽었다.

전생을 되짚었다. 지금 보이는 절벽 아래 세상은 분명 죽기 전 살아숨 쉬던 이승이었다. 순간 절벽 곳곳에 균열이 생겼다. 하지만 갈라지고 흔들리는 땅을 확인할 여력이 없었다. 얼른 고개를 들어 회오리바람을 바라보았다. 눈에 띄게 작아진 회오리바람은 씨앗을 쏟을수록 그 크기가 점점 줄었다. 갑작스레 떠오른 기억과 두통으로 몸부림치는 사이에도 끊임없이 씨앗을 뿌린 건지 이내 유가 사라지며 만들어 낸 회오리처럼 팔뚝만 한 크기로 작아졌다가, 마지막 씨앗을 뱉어낸 후 완전히 사라지고 말았다. 나는 있는 힘을 다해 절벽 아래로 몸을 던졌다. 아니, 분명 몸을 던지려고 했다. 정확히 나는 몸을 던지기 위해 실었던 힘만큼 뒤로 튕겨 나가떨어졌다.

한 번 더 몸을 던지려는 내 앞을 희뿌옇고 짙은 안개가 가로막았다. 한 치 앞도 보이지 않는 상황에 할 수 있는 건 안개가 사라지길 기다리는 것뿐이었다. 유가 사라졌을 때와는 다른 무겁고 차가운 공기에 압도되었다. 이어 천둥이 치는 듯한 목소리가 벼락같이 떨어졌다.

"돌아가, 기억을 지울 테니."

기억을 지운다고? 목소리의 정체를 파악할 새도 없이 유가 생각났다. 유가 어떻게 되었는지 아직 알지 못했다. 게다가 씨앗으로 변한 그 아이는 영원히 사라지는 것인지 알아야 했다. 이대로는 돌아갈 수 없다는 생각에 용기를 냈다.

“제발, 유는 어디로 갔는지 말해줘…….”

안개는 한참 스산한 기운을 내뿜더니 사람 얼굴만 한 거울을 눈앞에 띄워주었다. 그 속에 신생아가 있었다. 아이의 엄마로 추정되는 여자는 아이를 꼭 끌어안고 눈물을 흘렸다. 그 아이는 누가 봐도 유였다. 유가 가족의 품에 안겨 행복한 얼굴을 하고 있었다. 뒤이어 이것으로 만족하냐는 말소리가 들렸다. 지금껏 손에 쥐고 있던 목걸이를 내려다보자, 눈가가 뜨거워졌다. 끄덕이는 고개에 맞춰 눈물이 후드득 쏟아져 내렸다.

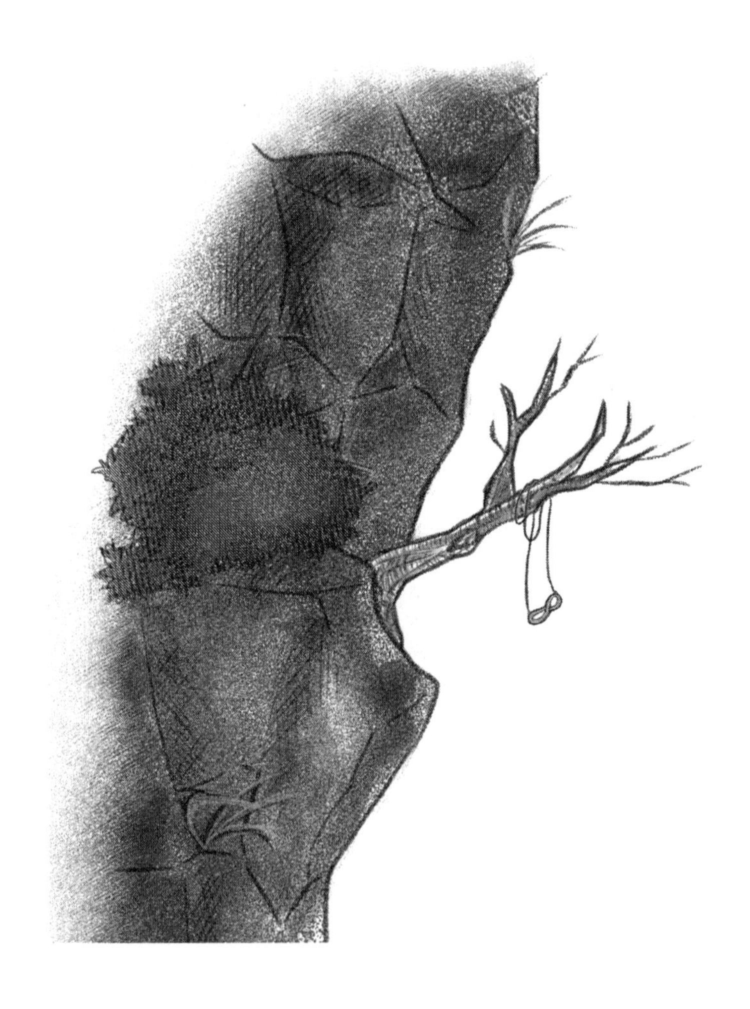

2장

시스투스의 꽃말

1

이 층짜리 주택은 붉은색 벽돌로 이루어져 있다. 하지만 하경은 집 외벽이 어떻게 생겼는지조차 가물가물하다. 새벽에 저무는 달빛을 따라 출근했고, 떠오르는 달빛을 따라 퇴근하는 삶을 반복 중이기 때문이다. 오늘도 짙은 어둠이 깔린 고요 속에 대문을 열었다. 밤 열 시. 끼익, 하는 철제 소리와 함께 그토록 그리던 대문으로 들어섰다. 일 층은 주인이 살고 있고, 오른쪽에 있는 계단을 두 번에 나눠 오르고 나서야 현관문에 도달할 수 있었다. 하경은 하늘색으로 어설피 페인트칠 되어있는 문을 짚었다. 어서 천근만근인 몸을 침대에 뉘고 싶었다. 그녀는 문을 짚지 않은 반대 손으로 빠르게 도어락 덮개를 열고 비밀번호를 눌렀다.

어두운 거실에 불을 켠 하경이 곧장 냉장고로 직행했다. 알코올이 간절한 밤이다. 캔맥주를 꺼내 쉴 새 없이 들이킨 후 소파를 등받이 삼아 앉았다. 소파는 앉는 용도 보다는 등받이로 자주 쓰인다. 한숨을 길게 푹 내쉰 하경이 고개를 들었다. 왼쪽에서부터 오른쪽까지 길게 이어진 상장과 사진이 눈길을 사로잡는다. 할머니와 하경 그리고 동생 다경까지. 세상에 남은 유일한 혈육인 세 가족이 살아온 추억이자 흔적이었다. 이제 할머니는 세상에 없지만 하경에게는 다경이 있다. 그래서 버틸 수 있었다. 일찍이 부모님을 여의고 몸고생 마음고생 전부 겪은 그녀였다. 분명 포기하고 싶은 순간이 있었으나 그때마다 늦둥이 다경이 눈에 밟혔다. 다경은 자신과 다른 삶을 살길 바랐다. 일찍이 공장을 택한 하경의 전폭적인 지지 덕분인지 다경은 공부도 곧잘 했고, 상도 많이 받았다. 지금은 이름만 들어도 누구나 알만한 서울의 모 대학교에 들어가 졸업을 앞두고 있었다. 벽면 가득한 상장과 함께 찍은 사진을 하나하나 눈에 담던 하경이 살포시 웃는다.

종일 한 번을 쉬지 못한 다리가 퉁퉁 부어있었다. 야근에 토요일 특근까지 휘몰아쳤으니 이상한 일도 아니었다. 금방 동난 맥주캔을 들고 무거운 몸을 일으켰다. '이제 씻고 자야지, 내일은 일요일이니까 늦잠 자고 일어나서 다경이랑 전화나 할까?' 읊조리기 무섭게 전화벨이 울렸다. 다경인가 싶어 급하게 휴대전화를 집어 드니 모르는 번호다. 거절 버튼을 누른 하경에게 같은 번호로 다시 전화가 울린다. 한두 번 무시하면 끊어지려니 가만 들고 있었지만, 끊임없이 울리는 벨 소리에 왠지 간담이 서늘해졌다. 천천히 통화 버튼을 누르니 상대는 잠시 머뭇거리더니 물었다.

"송하경 씨, 맞으시죠?"

상대는 하경의 신분을 확인하자마자 경찰임을 밝혔다. 야밤에 걸려온 전화는 다름이 아닌 경찰이었다. 이어서 동생의 죽음을 알리는 내용이 건조한 목소리로 흘러나왔다. 다경이 자살했단다. 정말 현실감 없는 내용이 내리꽂혔다. 하경은 말 그대로 심장이 멈추고 피가 식는 경험을 하고 있었다. 전후 사정을 간략히 설명한 경찰은 더 이상 대답이 없는 그녀에게 유감을 표했다. 그러나 전화가 끊어지고 나서도 하경은 한동안 꼼짝도 할 수 없었다.

서울에 당도하기까지 수많은 후회와 생각이 머릿속을 가득 채웠다. 뒤늦게 현실을 자각한 몸이 급속도로 움직였다. 심장은 터질 듯이 두근댔고, 손바닥에서 끝도 없이 땀이 배어 나왔다. 좀 전에 받은 전화가 차라리 금융사기의 일종이기를 빌었다. 그만큼 부정하고 싶은 내용이다.

다경에게 듣고 흘렸던 말들을 뒤늦게 되짚었다. 언니의 청춘을 뺏는 것 같다던 말, 더 이상 돈을 보내주지 않아도 된다는 말, 서울로 올라와서 같이 살면 안 되냐던 말…. 투정이 아니라 애원이었나. 하경은 인생에 고난이 생겨도 다경을 생각하며 버텨냈다. 하지만 정작 다경에게는 고난이 생긴 줄도 모르고 있었다. 서울로 보내고 나서 지금껏 행복한 대학 생활을 충분하게 누리는 줄로만 알았다. 몇 주 전 겨울방학이라고 내려온 그녀와 같이 밥을 먹은 게 엊그제 일처럼 선명했다. 곧 졸업을 앞두고 죽음을 선택한 이유를 도통 알 수 없었다. 지금껏 다경을 위한다고 여겨온 무수한 행동들이 사지로 내몬 것 같아 참담하기만 했다.

하경의 머리에 떠오른 수많은 물음표는 시신 앞에서 전부 새카맣게 타버렸다. 아직 못다 한 말들이 잿더미가 되었다. 투신한 시신은 차마 쳐다볼 수도 없이 심하게 훼손되어 있었다. 타살 정황은 없고, 한 오피스텔 건물 옥상에서 스스로 떨어졌다고 한다. 교우 관계에도 문제가 없었고, 유서도 따로 없었으므로 수사는 이루어지지 않았다. 하경은 이 상황이 이해되지 않아 눈물조차 나오지 않았다. 직접 확인한 시신은 다경이 아니라고 말하고 싶었다. 아무리 외면하려 고개를 저어도 다경이었다. 하경은 성인이 되고 얼마 지나지 않아 다경의 보호자가 되었다. 자매의 마지막 어른인 할머니가 돌아가셨기 때문이다. 다경은 중학교에 갓 입학한 참이었고 둘은 유일한 혈육으로 서로를 의지하며 살았다.

장례식을 치르고 집으로 돌아온 하경은 며칠을 물도 제대로 못 마시고 울기만 했다. 처음에는 다경과 함께 울고 웃었던 과거가 저리도록 떠올랐다. 다음은 그녀가 걸어갔을 길, 이뤘을 소망, 함께 했을 미래의 어느 날이 눈물처럼 생겨났다가 바닥으로 곤두박질치기를 반복했다. 생각해봤자 다경은 이제 이 세상에 없었다.

살아갈 이유를 저버린 하경 앞에 택배가 도착했다. 택배 속에는 다경이 생전에 쓰던 물건이 들어있었다. 날짜를 보니 다경이 죽기 전 집으로 부친 것이었다. 하경은 상자를 열고 하나씩 꺼내 품에 안았다. 채 추스르지 못한 마음이 일렁였다. 당장이라도 다경이 아무렇지 않게 현관문으로 들어올 것 같았다. 이미 눈을 제대로 뜰 수 없을 만큼 눈물을 흘렸다. 게다가 아무렇게나 닦아낸 탓에 눈꺼풀이 쓰렸다. 하지만 눈물은 또다시 볼을 타고 흐르고 있었다. 마지막 상자를 열자 차곡히 쌓인 다이어리와 인화된 사진 몇 장이 있었다. 독사진 혹은 친구들과 함께 찍은 사진이 대부분이었다. 그중 이름 모를 꽃이 만개한 사진이 눈에 띄었다. 다이어리는 총 다섯 권으로 올해는 전부 빈 페이지였다. 처음 서울에 상경한 그날부터 다경은 어떤 마음으로 일기를 적었을까?

2

다경의 기저에는 늘 부채감이 자리하고 있었다. 그토록 원하던 대학에 합격했을 때도, 처음 서울에 상경했을 때도, 동기인 승철과 연애를 시작했을 때도 마찬가지였다. 다경의 길은 늘 언니의 희생으로 이어졌기 때문이다. 곧장 일을 시작한 언니가 한편으로는 고맙고, 한편으로는 안타까웠다.

"안 자?"
"아, 자야지. 물만 떠올게."

창문으로 교정을 멍하니 내다보는 다경에게 룸메이트가 물었다. 다경은 비어있는 텀블러를 핑계로 방을 나섰다. 늦은 밤까지 잠들지 못하는 이유는 낮에 본 기사 때문이었다. 청춘을 포기하고 병든 아버지를 간병하는 이십 대 청년에 관한 내용이었다. 청춘이라는 주제를 접할 때마다 다경은 언니와 저를 대입할 수밖에 없었다. 다경은 언니가 자신을 위해 포기한 것들을 생각하며 가슴 속에 있던 죄책감을 끄집어냈다. 지금 처한 상황이 마냥 버겁게 느껴졌다.

기어이 다경은 잠을 포기하고 날이 밝도록 언니만 생각했다. 룸메이트의 알람 소리를 듣고서야 아침이 온 것을 깨달을 수 있었다. 약속이 있다며 나가버린 룸메이트를 뒤로하고, 다경은 텅 빈 방에서 뒤늦게 쏟아지는 졸음을 참아야 했다. 정신이 몽롱했지만, 오늘은 학점 높은 수업이 연달아 있었다. 그렇게 퀭한 눈과 축 처진 몸으로 기숙사를 나섰다. 고작 오 분 거리인 본관으로 걸어가는데 누군가 다경을 향해 쏜살같이 달려왔다. 든든한 버팀목인 남자친구 승철이었다. 그를 보고 반가워할 새도 없이 다경의 어깨 위로 큰 손이 내려앉았다. 어깨 위로 느껴지는 무게감은 그녀의 불안을 급속도로 낮춰주었다. 따뜻한 기운이 어깨부터 시작해 온몸으로 퍼져나갔다.

한숨도 못 잔 다경은 내내 집중하지 못했다. 그녀의 눈이 완전히 감기려던 찰나, 때마침 승철이 왼손을 들어 조심히 그녀의 손을 잡았다. 다경도 그제야 고개를 들고 오른손을 바라보았다. 굳건히 맞잡은 두 손은 첫 만남의 순간을 떠올리게 했다. 다경은 처음부터 과대인 승철이 좋았다. 늘 열정이 넘치고, 자신과 반대되는 당차면서 붙임성 있는 모습이 보기 좋았기 때문이다. 이후 다경의 마음을 눈치챈 승철이 먼저 다가간 덕분에 둘은 빠르게 가까워졌다. 연애를 시작하고 그녀의 불안정한 타지 생활은 조금씩 안정을 찾아가는 듯 보였다. 승철과 함께 있노라면 잠시 현실의 걱정들로부터 도피할 수 있었다. 승철은 다경의 가정사와 걱정을 전부 아는 이이기도 했다. 다경은 따스한 기억을 수습하고 그의 옆모습을 향해 웃었다.

때마침 강의는 막바지에 다다라 있었다. 마지막 주제는 '주변 환경에 적응하는 동식물'에 관한 것이었다. 그런데 예시가 '자살하는 꽃'이다. 시스투스는 주변 환경에 적응하면서도 임계점을 넘으면 죽어버리는 꽃이라고 했다.

"시스투스라는 꽃은 발화점이 35도밖에 되지 않습니다. 즉, 35도가 넘으면 스스로 발화해서 주변을 불태우고 함께 죽어버리죠."

"주변을 태우고 함께 죽으면 번식을 어떻게 하는지 궁금합니다."

"좋은 질문이네요. 시스투스는 죽기 전 씨앗을 뿌립니다. 불에서 잘 견디는 성질을 가진 녀석들을요. 죽은 식물들을 양분 삼아 잘 자랄 수 있답니다."

강의를 마치고 나오는 다경의 머리 위로 눈이 흩날렸다. 서울에서 승철과 맞는 두 번째 첫눈이었다. 승철은 우산이 없다며 투덜거리면서도 마지막에 들은 강의 내용을 상기했다. 마찬가지로 흥미롭게 들었던 다경도 시스투스가 신기하다며 자연스레 거들었다. 다경과 즐겁게 의견을 주고받던 승철은 시스투스에서 조금 언성이 높아졌다. 그는 시스투스가 이기적인 꽃이라며 열변을 토했다. 다경의 생각은 조금 달랐다. 시스투스가 열기를 얼마나 견디기 힘들면 그런 방식으로 자생할까, 생각했던 참이었다. 시스투스에 대해 의견이 나뉘는 건 어쩌면 당연했다. 국내에선 보기 어려운 꽃이고 번식하는 방식이 독특했기 때문에 각자의 뇌리에 강하게 남았기 때문이다.

흩날리던 눈은 정문으로 걸어가는 동안 점점 굵어졌다. 온 세상은 눈이 내리는 속도에 맞춰 하얗게 뒤덮이고 있었다. 교정 곳곳에 쌓이는 눈을 다경은 사진으로 남겼다. 좋은 것을 보면 늘 언니 생각이 나는 탓이다. 이번에도 설경을 예쁘게 담아 보여줄 생각이었다. 한창 열중하던 다경의 머리 위로 어느샌가 그림자가 드리웠다. 놀란 다경이 뒤를 돌았을 땐, 우산을 들고 숨을 몰아쉬는 승철이 있었다. 잠깐 사이에 우산을 사러 뛰어갔다 온 건지 어깨가 불규칙하게 오르내렸다. 그 순간이 좋아서 다경은 추위도 잊고 승철의 어깨만 보았다.

"비가 오면 바로 우산을 찾으면서 눈은 왜 고스란히 맞고만 있어?"

걱정 섞인 질문이 따라붙었다. 의식한 적은 없지만, 나름의 이유가 있었다. 비는 오면 온다고 소리를 내는데 눈은 내려앉을 때까지 소리가 나지 않는다. 아무리 펑펑 내리는 눈이어도 말이 없다. 수줍어서일까, 다경은 그 수줍은 눈을 모른 척 받아주고 싶었다. 그리고 이제는 자신도 승철에게 내려앉고 싶었다. 눈처럼 조용히, 사랑하는 마음을 들키지 않고.

"네가 씌워주는 우산이 좋아서."

모든 말은 삼키고 핑계를 댔다. 때아닌 애교에 그가 웃음을 터뜨렸다. 다경만이 들을 수 있을 정도로 나직한 웃음소리가 듣기 좋게 울렸다. 둘을 축복하듯 내려오는 눈을 다경은 한동안 지켜보았다. 그리고 조금이라도 이 순간에 오래 머물 수 있길 바랐다.

"곧 있으면 방학이네."

승철은 조금 들뜬 목소리로 다경을 내려보았다. 고개를 끄덕이던 다경도 승철을 올려보았다. 서로의 눈이 마주치자, 다경의 심장이 여지없이 두근거렸다. 그를 향한 떨림이 밖으로 드러날까, 걱정될 정도였다. 하지만 겨울은 수줍음 많은 다경에게 사랑을 숨기게 최적화된 계절이었다. 심장이 빠르게 뛰어도 얇은 옷에 비칠까 걱정하지 않아도 된다. 목이 타들어 가 침을 삼키면 목도리가 가려주고, 손에 땀이 배어나면 장갑이 두꺼워서라고 둘러댈 수 있었다. 겨울이 좋은 이유가 한 가지 더 늘었다고, 다경은 생각했다.

3

"헉!"

단말마의 비명과 함께 승철이 눈을 떴다. 그의 시야에 가장 먼저 다경이 들어왔다. 이어 부모님의 모습이 보이고, 숨죽인 울음소리가 들렸다. 승철은 자신이 병원복을 입고 침대에 누워있다는 사실을 뒤늦게 깨달았다. 분명 겨울방학을 맞이해 매년 그러했듯 스키장을 찾았을 뿐이다. 다만 올해는 리프트가 멈췄고, 찰나의 사고가 있었다. 그러나 승철은 심하게 다친 기억이 없었다. 따라서 병실의 분위기가 왜 이렇게 어두운지 짐작되지 않았다. 알 수 없는 불안에 사로잡힌 승철이 이유를 물으려 했지만, 가라앉은 침묵 가운데 쉽사리 목소리를 내기 어려웠다. 입술을 달싹이다 관둔 승철은 몸을 일으키기 위해 상체를 뒤틀었다. 그의 의지대로 순순히 움직이는 상체에 비해 아래로 감각이 없었다. 그 순간 다경이 고개를 돌리는 것이 보였다. 또 한 번 아래쪽으로 힘을 주었으나 미동도 없다. 마치 다리가 그의 신체 일부가 아닌 것같이 느껴졌다. 승철은 다시 침대 시트를 있는 힘껏 부여잡았으나 역부족이었다. 승철의 심장이 순식간에 내려앉았다. 점점 굳어가는 표정을 보며 그의 부모님도 탄식했다.

사고는 스키 리프트가 운행 중 멈추면서 일어났다. 승철과 그의 친구들이 타고 있던 리프트가 갑작스레 정지한 것이다. 비상 엔진이 가동되었고 공중에 고립된 백여 명은 다시 리프트가 정상적으로 재개되는 듯한 모습에 가슴을 쓸어내렸다. 하지만 기계의 오작동으로 인해 리프트는 고속으로 역주행하기 시작했다. 이로 인한 중상자, 사망자까지 발생하게 된 것이다. 승철은 리프트와 부딪히면서 십 미터 아래로 떨어졌고 신경을 크게 다쳐 하반신마비 판정을 받게 되었다. 승철은 현재 상태에 대해 자세히 알고 싶었다. 그러나 누워만 있는 그에게 나서서 설명해 주는 이는 아무도 없었다. 그 또한 누구에게도 물을 수 없었다.

그의 어머니는 혼절하기 직전까지 끊임없이 눈물을 흘렸다. 기력이

다해 휘청거리는 어머니를 감싸고 아버지가 자리를 비운 그때였다. 승철은 조금씩 현실에 대한 자각이 또렷해졌다. 여전히 감각이 없는 다리 옆으로 팔을 베고 잠든 그녀를 보았다. 팔을 베지 않은 반대쪽 손에는 휴대전화를 쥐고 있었다. 끝까지 자리를 지키다 깜빡 잠이 든 모양이었다. 다경의 눈물자국이 아직도 선명했다. 얼굴에 남은 눈물자국을 따라 움직이는 승철의 눈동자는 공허하기에 그지없었다. 그 누구도 의중을 알 수 없도록 비어있는 모습이 섬뜩할 지경이었다. 그 눈동자는 아직도 빛을 내뿜는 다경의 휴대전화 화면으로 옮겨갔다. 저도 모르게 손을 뻗은 승철이 그녀의 손에서 휴대전화를 조심히 빼냈다. '하반신마비'가 온 화면을 가득 채우고 있었다. 휴대전화를 쥔 두 손이 심하게 떨려왔다.

"척수나 뇌와 같은 중추신경이 질병이나 사고에 의해 손상되어 하반신에 감각 이상을 나타내는 상태……."

[방광과 대장 기능을 조절하는 신경이 마비되고, 남성의 경우 성기능이 상실될 수 있음] 누구보다 건강을 자부했던 승철에게 충격은 더욱 크게 다가왔다. 숨이 막히고 심장이 심하게 요동쳤다. 종내에는 원치 않은 눈물을 쏟았다. 믿을 수 없거니와 믿고 싶지도 않았다. 앞으로 펼쳐질 미래에 대한 공포만 남았다. 이 상황을 어떻게 받아들여야 할지 막막한 승철은 갈수록 신경이 날카로워졌고 불안으로 잠을 이루지 못했다. 넋이 빠져버린 그에게 예전 같은 모습은 더 이상 찾아볼 수 없게 되있

다. 승철의 친한 친구, 대학교 동기, 매년 익스트림 스포츠를 함께 즐기던 동료들이 차례로 병문안을 다녀갔다. 다양한 지인들이 위로를 건넸지만, 승철은 그 누구의 말도 들리지 않았다. 그런 승철의 곁엔 언제나 다경이 있었다. 다경은 의미 없는 위로 대신 그가 무너지지 않게 묵묵히 곁을 지키기로 했다.

거부감을 일으키던 병원 특유의 냄새가 당연해질 무렵 승철은 퇴원 절차를 밟았다. 퇴원 이후 승철은 자취 중인 오피스텔로 돌아갔다. 그의 부모님은 혼란스러울 아들이 본가로 오길 원했으나 승철의 뜻은 강경했다. 지금 필요한 사람은 다경뿐이라며 선을 그은 것이다. 그를 너무 사랑하는 다경에게 승철의 부탁은 불가항력이었다. 매일 주문처럼 속삭이는 그의 '네가 있어서 버틸 수 있다'라는 말이 그녀를 더욱 단단하게 옭아맸다. 남은 방학 동안 기숙사와 오피스텔을 오가던 그녀에게 승철은 온전히 곁에 있어 달라고 애원했다. 애처로운 그 눈빛에 다경은 하는 수 없이 삼 학년을 앞두고 휴학을 택했다. 차마 언니에게는 알리지 못하고 승철의 오피스텔에서 살게 되었다. 다경이 그를 사랑하는 만큼 도움이 되고 싶어 내린 결정이었다. 하지만 갑작스레 둘만 남겨진 오피스텔은 그다지 행복한 공간이 되지 못했다. 무엇이든 미숙한 둘에게 뭐 하나 쉬운 것이 없었기 때문이다. 아침에 일어나 밥을 먹거나 용변을 처리하는 등 잠에 들기까지 매 순간 위기였다. 사고를 당하기 이전의 승철이라면 다경과 함께 있는 지금이 너무나도 행복했을 테다. 그러나 지금의 그는 아무것도 해 줄 수 있는 게 없었다. 되려 받기만 하고 있었다. 마지막으로 남은 이성이 지금이라도 다경을 보내줘야 한다고 외치고 있었다. 하지만 다경이 다른 남자와 함께하는 모습, 내가 없는 곳에서 행복하게 웃는 모습을 떠올리면 어느 순간부터 뒤틀린 소유욕이 몸집을 부풀리며 막아섰다. 공존하는 상반된 마음으로 승철은 한동안 괴로워했다.

문제는 다경이 언니를 만나기 위해 경주에 갔던 날 생겼다. 다경은 전날 승철의 부모님께 연락해 두었다. 승철에게는 아침 일찍 출발해 저녁 늦게라도 돌아오겠다고 약속했다. 그는 익숙한 다경이 아닌 엄마와 함께하는 시간이 껄끄러웠다. 장애가 생긴 아들을 대하는 태도에 승철은 가슴이 옥죄였다. 최대한 티를 내지 않으려 하지만 어찌할 바를 모르고 연신 불안해했다. 승철의 엄마는 자신 때문에 다친 것이 아닌데도 불구하고 내내 미안함을 표출했다. 그런 모습들이 힘들어 저녁을 먹은 그는 바로 엄마를 돌려보냈다. 그것부터 시작이었을까? 현관에서 뒤를 돌던 순간 휠체어 바퀴가 신발장 방향으로 헛돌더니 이내 걸려버렸다. 다행히 넘어지는 것은 면했지만 신발 벗는 곳에서 현관 위를 휠체어로 올라올 수가 없었다. '현관으로 오르던 턱이 이렇게나 높았나.' 사고 후 신발을 벗은 채 오고 갈 일이 없어 몰랐다. 승철은 이리저리 휠체어 바퀴를 잡고 앞뒤로 굴려보는 것밖에 할 수 없었다. 한참을 그러고 충격을 주어 현관문으로 바퀴가 넘어서려던 때였다. 더 이상 소변을 참을 수 없다고 판단한 승철이 휠체어에서 몸을 앞으로 기울여 현관으로 넘어졌다. 팔을 이용해 화장실까지 도착하는 것은 성공했지만, 도저히 일어설 수가 없었다. 변기를 붙잡고 한참을 씨름하던 승철은 돌이킬 수 없는 결과를 초래했다.

다경은 약속대로 자정이 다 되어가는 시간에 맞춰 도착했다. 현관문을 열고 들어오던 그녀는 아무 말도 할 수 없었고, 절대 들키고 싶지 않았던 모습을 보인 승철은 모멸감과 절망감에 점철되었다. 그날 이후 승철은 다경을 보내줄 마음이 애초에 없던 사람처럼 굴었다. 다경이 없으면 아무것도 할 수 없다. 이 사실 하나만으로 승철의 불안이 고조되었다.

"시스투스 기억나?"

갈수록 다경에 대한 집착이 심해지던 어느 날이었다. 승철은 기억 저편에 있던 꽃, 시스투스로 말의 포문을 열었다. 둘 다 아는 주제를 둔기 삼아 위압감을 조성할 셈이었다. 시스투스를 알 듯 말 듯 기억하는 다경에게 승철은 꽃말을 물었다. 다경은 아무 의심 없이 꽃말을 검색해 읊었다. 꽃말이라고 하기에는 어쩐지 조금 섬뜩했다.

"임박한 죽음, 나는 내일 죽겠지. 이게 꽃말이라고?"
"그런가 보네. 마치 너를 보는 것 같다."

다경이 고개를 들었다. 이해되지 않는다는 표정이었다. 요즘 너무 힘들어 보여, 다경아. 넌 내가 없으면 스스로 불을 지를 아이니까 걱정돼서. 승철은 때를 놓치지 않고 그녀의 감정을 헤집어 놓았다. 확실히 다경은 지쳐있었다. 정확히 꼬집어 설명할 수 없는 감정이 매일 그녀를 괴롭혔다. 승철이 하는 말은 전부 정답이고, 스스로 하는 생각은 의미 없는 오답이라고 착각하는 지경에 다다랐다. 하지만 승철의 안위를 최우선에 둔 그녀의 사고는 이미 진실에서 멀어져 있었다. 다경이 통화하러 자리를 비운 사이, 승철은 일부러 화병을 깨뜨렸다. 그리고 줍는 척 손을 뻗어 유리 조각에 베이기까지 했다. 다경이 그의 시야에 보이지 않았다는 이유였다. 물론 다경을 향한 보여주기식 행동이었다. 승철은 다시는 자신을 두고 자리를 비우지 말라고 눈물을 짜냈다. 되려 미안해진 다경은 세심하게 살피지 못한 제 행동을 자책할 수밖에 없었다.

승철은 휠체어에 앉아 가만히 다리를 내려다보았다. 사고 전까지 그 누구랑 견주어도 좋을 만큼 근육으로 쩍 갈라진 허벅지를 참 자랑스러워했다. 아무리 높은 산일지라도 오르는 데 겁낸 적 없고 산악자전거에 이어 승마, 축구, 마라톤까지 하지 못하는 운동이 없었다. 방학이면 보름에서 한 달까지 꼭 마음이 맞는 동료들과 스포츠를 즐겼다. 승철의 쾌활함은 건강한 내면에서 나오고 있던 것이다. 그런 그의 다리는 몇 달 새 근육이 빠져있었다. 운동을 시작하고 한 번도 볼 수 없었던 홀쭉한 다리였다. 하지만 부모님도, 그의 친구들도 생존에 초점을 두었다. 살아만 있으면 어떻게든 헤쳐 나갈 수 있다고 노력하면 된다고 격려했다. 승철은 그 격려가 싫었다. 당장 눈앞에 있는 물건조차 주울 수 없고, 집 안에서 다경의 도움 없이는 할 수 있는 일이 없었다. 그런데 살아있으면

무얼 할 수 있다는 말인지 그는 이해할 수 없었다. 아무리 노력해도 휠체어를 벗어날 수 없었다. 승철은 이제 평범한 삶으로 돌아갈 수 없다고 마음대로 단정 지었다. 무기력해진 승철은 언제부터인지 다경을 볼 때마다 자신이 죽은 이후를 상상하게 되었다. 다경은 다른 누군가를 만나 결혼을 하고, 아이를 낳아 평범한 가정을 꾸리겠지, 생각했다. 이대로 자신이 죽으면 다경이 누릴 행복한 삶을 생각하다 보니 분노가 일었다. 그럴수록 승철은 울며 하소연하거나 다경에게 들었던 가정사를 들먹였다. 그에게 가장 소중한 사람은 다경이며, 그녀 또한 그 없이는 불행한 삶을 살 거라는 말을 저주처럼 퍼부었다. 처음 다경에게 쏟아놓은 날은 날카로운 말들이 그에게도 잔상처럼 남았다. 며칠은 꺼림칙하고 미안한 마음도 들었지만, 끝내 무뎌졌다.

진료가 있었던 날은 승철과 다경이 세 번째 함께 맞는 첫눈이었다. 눈을 보고도 둘은 아무 말 없이 길을 나섰다. 승철은 항상 느끼는 불편한 시선을 신경 쓰느라 바빴다. 승철에게 모든 시선은 매번 큰 상처였다. 그가 비록 사고 이후 야위었지만, 큰 키와 체구가 눈에 띄었다. 비교적 작고 아담한 체형을 가진 다경이 휠체어를 끌면 안쓰럽게 쳐다보는 것처럼 느껴졌다. 자신이 다경에게 몹쓸 짓을 시키는 것만 같았다.

병원 진료를 마치고 집으로 돌아온 승철은 이대로 연기처럼 사라지고 싶었다. 더 이상 견디고 싶지 않았다. 그는 뒷정리하는 다경을 향해 이제 더 이상 버틸 힘이 없다고 말했다. 아무것도 담기지 않은 그의 눈동자에 다경은 기운이 빠졌다. 학교는 휴학했고, 유일한 가족인 그녀의 언니는 이 상황에 대해 아무것도 알지 못한다. 그녀의 삶에는 이미 승철만 남았다. 혼란스러운 눈빛으로 자신을 바라보는 다경에게 승철이 물었다.

"나한테 널 잃는다는 건 전부를 잃는다는 의미야. 너에게 나는 어떤 의미야?"

다경에게는 아무런 대답이 없었다. 승철은 행복했던 우리의 기억이 희미하다고 덧붙였다. 이어 부엌으로 나아간 그는 스스로 숨을 거두었다. 순식간에 벌어진 일에 다경은 아무런 행동도 할 수 없었다. '지금'이 좋은 기억을 에워싸기 전에 떠나고 싶어. 마지막으로 승철이 읊조리듯 내뱉은 말이다. 그가 고꾸라지는 모습을 차례로 보던 다경은 공포에 빠졌다. 꿈인지 현실인지 구분할 수 없었고, 그녀의 영혼마저 덩달아 지워지는 기분이었다. 뒤늦게 경찰에 신고한 다경은 승철에게 기어갔다. 겨우 엎어져 있는 몸을 천장으로 돌리니 환영을 보는 것 같았다. 질문에 바로 대답했다면 그는 죽지 않았을지 뒤늦은 죄책감이 그녀를 휘감았다.

다경은 조심스레 손을 뻗어 승철의 손을 잡았다. 정확히는 그의 손 밑으로 손을 밀어 넣었다. 이렇게 해야 조금이라도 손을 맞잡은 느낌이 났다. 그녀의 행동이 유난히 조심스러운 것도 있었으나 승철의 몸은 소름이 끼치도록 일말의 움직임조차 없었다. 그 적막에 다경은 오한이 들었다. 일방적으로 잡은 승철의 손은 볼수록 유려했다. 또 시리도록 하얬다. 분명 옛날에는 조금 더 까맣고, 핏줄도 도드라지고, 굵은 선이 남자

답다고 생각했던 것 같은데. 그의 손이 참 많이 야위었다. 다경의 눈망울에 눈물이 맺혔다. 맺힌 눈물은 끝을 모르고 흘러내렸다. 실내에 있는 날이 길어질수록 그의 피부는 눈이 쌓이듯 조용히, 조금씩 본래의 색을 잃어갔다. 집은 적정 온도가 유지되고 있었지만, 승철의 손이 유달리 차갑게 느껴졌다. 다경은 마지막 순간 손을 잡아본 것이 다행이라고 생각했다.

벌써 몇 번이고 바라본 승철의 사진에 다경의 시선이 가닿는다. 다경은 이제 울 힘도 남아있지 않았다. 그저 장례식장과 화사하게 웃고 있는 승철이 참 안 어울린다는 생각 따위를 했다. 물끄러미 사진을 바라보는 다경은 생전 승철의 눈과 닮아있었다. 그녀는 자신이 불행을 불러오는 존재라 느꼈다. 부모님도, 할머니도, 언니도 모두 자신 때문에 불행한 삶을 산 것만 같아 죄책감에 휘둘리며 살았다. 그런데 이제 승철까지 그녀의 곁에서 떠나고 말았다. 승철이 자신을 만나 이런 사고가 일어난 게 아닌가 하는 의구심이 들었다. 그런 의구심은 확신으로 바뀌었다. 그녀는 자신까지 사라지고 나면 사랑하는 이 세상의 단 한 사람 언니만큼은 불행의 늪에서 빠져나올 수 있을 것이라 믿었다. 승철의 폭언도 큰 영향을 끼쳤다. 다경은 언니의 행복한 삶을 그리다 오피스텔 건물 옥상으로 향했다.

4

하경의 눈에서 떨어진 수많은 눈물방울은 비 오는 날 웅덩이를 연상케 했다. 비가 웅덩이에 떨어져 이는 파문처럼 하경의 울음은 수많은 울림이 있었다. 낙망과 원망, 회한과 그리움이 종이 위로 떨어져 원을 그렸다. 다이어리를 쥔 손이 바르르 떨렸다. 읽는 것만으로 이렇게 답답하다. 그런데 이 다이어리에 한 글자, 한 글자 눌러썼을 다경의 심정은 어땠을지 감히 헤아릴 수 없었다. 다경이 평소와 같은 사고를 할 수 없었음을 다양한 부분에서 짐작할 수 있었다. 그녀가 아는 다경은 쉽게 선택을 내리지 못했고 간이 작았다. 따라서 휴학, 간병 같은 큰일은 꼭 하경에게 상의했을 터다. 그러나 다경은 독단적으로 휴학을 선택했다. 더불어 간병을 위해 승철의 오피스텔로 거처를 옮기기까지 했다.

하경은 문득 이 모든 게 승철에 의한 산물일지 모른다는 생각이 들었다. 이렇게 헌신적으로 사랑한 다경에게 건넨 그의 말이 전부 이상했기 때문이다. 다이어리의 내용을 토대로 되짚어 보면 승철은 '너의 주변 사람들은 너로 인해 불행해 보인다.'라고 자주 말했다. 다경을 낳다가 돌아가신 어머니, 다경이 걸음마를 뗄 무렵 사고로 돌아가신 아버지, 성인이 된 하경이 다경의 보호자 역할을 하게 되었을 즈음 돌아가신 할머니까지 모두 연관시켰다. 단 한 번도 둘의 사랑을 실제로 본 적 없는 하경이지만 이건 일반적인 관계가 아니었다. 다정한 듯 칼을 들이미는 승철의 말투는 형용할 수 없는 위협으로 다가왔다. 끝으로 치달을수록 다경은 몸과 마음이 지친 상태였다. 그는 다경을 자신의 목석에 맞는 사람으로 조각해 갔고, 주저앉혔다. 하지만 다경도, 승철도 세상에 없다. 하경은 심증만 가진 자신이 무엇을 할 수 있을지 알 수 없었다.

하경은 늘 다경만은 다른 인생을 살았으면 했다. 다경에게 유일한 보호자가 되었을 때부터 그녀는 그렇게 만들겠다고 다짐했었다. 하지만 다짐은 점점 부를 축적하는 방향으로만 강하게 기울었다. 그저 다경이 갖는 목표를 이루기 위해서는 돈뿐이라고 생각했기에. 실상은 다경에게 남자친구가 있다는 사실조차 몰랐다. 가장 가까우면서도 멀리 있었던 과거가 후회되었다. 다경의 다이어리를 읽으며 사무친 것은 '적막'이다. 홀로 감내하기에 버거운 감정이 많은 그녀는 정처 없이 표류하고 있었다. 그런 다경에게 승철은 닻을 내리고 정박할 수 있는 유일한 쉼터였다. 그 쉼터는 곧 구렁텅이였지만 말이다. 다경이 그에게 많이 의지했다는 것은 분명 알 수 있었다.

몇 날 며칠을 고민하던 하경은 다이어리 속 내용을 모조리 스캔했다. 식사를 거른 탓에 창백한 몰골이었지만, 하경은 멈추지 않았다. 검색을 통해 알아낸 모 커뮤니티에 접속했다. 글을 써서 많은 공감을 사면 다양한 이들이 볼 수 있는 곳이었다. 운 좋게 기사화가 되기도 했다. 하경은 파일로 변환된 다경의 일기를 들고 글을 써 내려갔다. 뒤집힌 속에 비해 꽤 담담한 글이 완성되었다. 다경을 구하지 못했지만, 이런 죽음이 있다고 세상에 알리고 싶었다. 만약 다경과 비슷한 상황에 놓인 누군가가 글을 읽는다면 조금 더 객관적인 위치에서 바라볼 수 있길. 다경의 죽음이 헛되지 않길. 하경이 다경을 기억하는 방법이자 그녀만의 사죄였다.

3장

어항 밖 물고기

어항 속 물고기

오후부터 내리기 시작한 비는 퇴근 시간에 가까워질수록 세기를 더해갔다. 혜인은 일 층 정문에 서서 짧게 한숨을 내뱉었다. 정시에 나왔다면 정류장까지 바래다줄 사람이 있을지도 모르지만, 완성된 피피티가 아무리 수정해도 마음에 들지 않았다. 안 그래도 학력부터 남다른 입사 동기와의 실력 차이를 좁히고자 애를 쓰던 차다. 그렇게 '조금만 더'를 반복하며 퇴근 시간은 삼십 분이나 지체되었다. 우산을 미리 준비하지 못한 과거의 자신이 원망스러웠다. 근처 편의점 문 앞에는 갑작스러운 비를 기다렸다는 듯 일회용 우산이 하얀 꽃다발처럼 꽂혀있었다. 하지만 집에 있는 우산꽂이의 일회용 우산이 생각난 혜인은 가방을 머리에 얹고 정류장까지 힘껏 뛰었다.

비 오는 날 대중교통은 더욱 혼잡하기 마련이다. 한가지 다행인 점은 회사 앞 정류장이 회차 지점이었다. 저 멀리서 유턴하는 버스가 나타나자, 그에 맞춰 사람들이 좀비 떼처럼 함께 움직였다. 바닥에 고여있던 빗물이 사방으로 튀었다. 혜인의 양말도 서서히 젖어 들어갔지만, 퇴근 버스 앞에서 여유는 금물이다. 좀비 떼에 섞여 자연스레 선두를 사지한 혜인은 가장 좋아하는 기사님 뒷자리에 안착할 수 있었다. 눅눅한 공기와 축축하게 젖은 옷이 온몸에 달라붙었다. 버스는 이미 만석이었지만 마지막에 달려온 사람들로 여기저기서 끊임없이 앓는 소리가 들렸다. 그러나 좌석을 기준으로 작은 세계를 확보한 혜인은 조용히 눈을 감고 창문에 머리를 기댔다.

기억 속 그날은 혜인이 아홉 살, 그러니까 지금으로부터 십 년도 더 되었다. 오후부터 갑작스럽게 내리기 시작한 비는 바로 옆 사람과의 대화조차 목청껏 소리를 질러야 들릴 만큼 아득하게 쏟아졌다. 하교 시간이 되자 정문에는 아이들을 데리러 온 부모님으로 북새통을 이루고 있었다. 맞벌이인 부모님이 여기 계실 리 없다는 사실은 혜인도, 연년생 오빠도 잘 알고 있었다. 혜인은 오빠와 약속이라도 한 듯 신발주머니를 머리에 얹은 채 전속력으로 달렸다. 턱 끝까지 숨이 차올라도 집에 도착하는 순간까지 장난을 쳤다. 옷을 갈아입고 나서도 추위가 가시지 않았으나 혜인은 아무렴 상관없었다. 오빠 앞에만 꿀차가 놓이기 전까지 말이다.

퇴근 후 집에 돌아온 부모님은 파래진 입술로 웃는 남매를 보며 경악했다. 이어 멋대로 널린 옷가지를 살뜰히 정리한 엄마는 오빠만 거실로 조용히 불렀다. 엄마의 손에는 손바닥만 한 꿀단지가 들려있었다. 저것은 할아버지가 주신 귀한 토종꿀이다. 혜인은 처음 그 꿀단지를 받아왔을 때, 부모님이 절대 만지면 안 된다고 신신당부하며 찬장 가장 높은 곳에 올려놓는 것을 보았다. 부모님의 행동으로 미루어 보아 그게 얼마나 귀한지 알 수 있었다. 엄마는 조심히 퍼낸 꿀을 따뜻한 물과 섞어 오빠에게 건넸다. 꿀차는 유난히도 따뜻해 보였고, 달콤한 맛이 날 것 같았다. 혜인은 엄마 앞으로 뛰어가 오빠와 같은 차가 마시고 싶다고 말했다. 엄마는 아직 어려서 안 된다는 말로 회유했고 혜인 몫의 꿀차는 끝끝내 없었다.

버스 뒷문이 요란한 소리를 내며 열렸다. 어둠과 비를 머금고 짙어진 보도블록 위로 발을 디뎠다. 비는 아까보다 한층 사그라들었지만 조금 전의 여파로 온몸이 찝찝했다. 걸음을 옮길 때마다 양말과 신발이 맞닿으며 질척였다. 집 앞에 다다라 문을 열면 4평 남짓한 공간과 익숙한 물비린내가 기다리고 있었다. 왼손은 잘 벗겨지지 않는 신발을 잡아당겼고 오른손으로는 벽을 더듬었다. 스위치를 누르고 이 공간 전체에 불이 밝혀짐과 동시에 정면의 어항과 물고기 한 마리가 눈에 들어왔다. 혜인은 젖은 옷과 양말 그대로 물비린내를 따라 직진했다. 서랍장 위에 올려진 어항을 바라보며 한참을 앉아 시클리드가 헤엄치는 모습을 지켜보았다. 어항 속 물고기는 속도 모르고 열심히 물살을 가르고 있었다. 속내가 다 비치는 반투명한 몸통과 주황색에서 꼬리에 가까워질수록 노란빛을 띠는 바나나 시클리드. 속도가 빠르다고 해서 나름 큰 어항을 선택했지만, 산소여과기, 자갈, 플라스틱 수초 따위가 들어찬 어항 속은 너무나 비좁게 느껴졌다. 그 모습이 꼭 푹 젖어있는 자신과 같아 누가 물고기인지 분간이 되지 않았다. 고요가 무거운 이불처럼 방 안에 내려앉았다. 그녀가 선 이곳의 벽이 점점 거리를 좁혀 다가오기라도 할 듯 숨이 막혔다. 공복임에도 지쳐있는 지금은 밥보다 따뜻한 커피가 간절했다.

혜인은 찬장에서 원두를 고르고, 그라인더에 넣어 갈기 시작했다. 원두가 갈리며 내는 일정한 소리에 그녀의 마음도 조금씩 안정을 찾아갔다. 커피포트가 끓는 소리에 맞춰 핸드드립 주전자에 물을 옮겨 담은 혜인은 자세를 고쳐잡았다. 천천히 주전자를 들고 허공에 원을 그리자, 이에 맞춰 필터 속 커피 가루에도 원이 생겨났다가 사라지길 반복했다. 몇 번을 더 반복하면 오롯이 자신의 선택만으로 결과물이 나왔다. 커피를 뿌듯하게 감싸 쥐고 한 모금 마시니 그제야 몸과 마음이 따뜻해지는 느낌이 들었다. 그리고 혜인은 회사를 떠올렸다. '우리 회사는 고졸이라고 차별도 없잖아, 그렇죠?' 과장의 웃음소리가 들리는 듯했다. 과장과 동료들이 고졸 출신인 혜인에게 대놓고 차별을 논한 적 없었다. 하지만 친한 동료와 연봉을 터놓거나 여럿이 모이는 자리에서 대학 시절, 전공에 대한 주제가 화두에 오르면 잠자코 웃을 수밖에 없었다. 혜인은 은연중 느낀 차별과 공백의 근원을 한참 동안 되새겼다.

혜인에게 계기란 아메리카노 한잔이었다. 고등학교 진학 이후 본격적으로 공부의 양이 늘어나자, 자연스레 카페인을 찾은 것이다. 그날은 카페에서 처음으로 스무디가 아닌 아메리카노를 시켰다. 여느 고등학생처럼 잠을 쫓을 용의였다. 처음 접한 커피의 향이 코끝에 스몄다. 카페인이 아닌 커피 향으로 정신이 맑아지는 듯했다. 혜인의 예민한 감각을 자극한 날이기도 했다. 그녀에게 커피는 단순히 향기를 넘어서 유일하게 숨통이 트는 안식처가 되었다. 이제 아메리카노뿐만 아닌 아인슈페너, 라테처럼 부드러운 메뉴를 두루 접했다. 그녀도 모르는 사이 전

문 서적이 눈에 들어왔다. 물론 생각보다 방대한 양에 경악을 금치 못했으나, 맛과 향이 다른 이유를 알아가는 재미가 있었다. 나아가 여러 카페의 커피를 선상에 두고 차이를 찾고 우위를 가리기까지 했다. 아메리카노 한잔으로 시작한 커피, 차(茶)에 관한 공부는 고등학교 3학년이 될 때까지 이어졌다.

'너도 대학교 갈 거냐?'

고등학교 3학년이 된 혜인에게 아빠는 그렇게 말했다. 요컨대 그것은 질문이나 권유가 아닌 무언의 압박이었다. 부모님의 세상은 이미 오빠로 가득 차 있었다. 그러나 아들만 찾는 부모님일지라도 표현 방식이 조금 다를 뿐, 애정의 크기를 의심하지 않았던 그녀가 처음으로 의구심을 가진 날이었다.

'외식산업 과에 진학하고 싶어요.'
'그건 학원에서도 충분히 배울 수 있는 분야잖니.'
'그래도 저는 조금 더 전문성 있게 배워서 후에 가게를…'
'혜인아, 너는 어릴 적부터 영특한 아이였다. 항상 혼자서 잘해왔고 앞으로도 그러리라 믿어.'

아빠는 한 손을 식탁 위에 올린 채 손끝으로 식탁을 천천히 두드리고 있었다. 침묵이 길어질수록 그 소리는 더욱 크게 들렸다. 목제식탁과 손톱 끝이 부딪혀 나는 소리로 거실이 가득 채워질 무렵 나는 마시못해 고개를 끄덕였다. 집을 떠나겠다는 생각이 확고해진 것도 그때였다.

우회

혜인은 스무 살이 되어 대학교 대신 알바를 택했다. 빨리 돈을 모아 본가로부터 멀어지겠다는 생각뿐이었다. 처음 시작한 알바는 골목 끝 작은 카페였다. 한가할 것이라는 예상과는 다르게 네 개뿐인 테이블은 늘 만원이었다. 하나도 허투루 하는 법 없는 사장님 덕분이다. 카페는 사장님의 손길이 닿지 않은 곳이 없었다. 거기에 테이크아웃 손님까지 더해지니 그 규모에 비해 늘 정신없이 바빴다. 하지만 혜인은 원두의 나라별 특성, 좋은 원두를 고르는 법, 커피를 내리고 제대로 된 맛을 내는 방법을 배울 수 있었다. 외식산업에 두루 관심을 가진 그녀에게 인상 깊은 경험으로 남았다. 돈을 벌기 위해 지원한 알바였지만, 혜인에게는 꿈을 향한 의미를 확고히 하는 시기였다.

무던하고 가리는 것이 없어 아무 음식이나 잘 먹는 그녀였다. 하지만 커피만큼은 그러지 못했다. 기준에 부합하는 커피를 마시기 위해 시간이 날 때마다 카페를 찾느라 이 카페, 저 카페 돌아다니느라 애를 먹었다. 커피에 대한 애정으로 바리스타 자격증을 취득했다. 이후 외식산업과 관련된 공부, 자격증 취득에 전념했다. 어느 날은 셰프가 되어 레스토랑을 오픈하는 꿈을, 다른 날은 카페에서 바리스타가 되어있는 꿈을 꾸었다. 하지만 불확실한 미래 앞에 현실적인 문제가 가로막았다. 알바는 좋아하는 공부를 이어갈 수 있을지 몰라도 집을 구하기에 역부족이었다. 꿈을 따라가고 싶지만, 지금의 그녀에게는 돈이 급선무다. 혜인은 결국 일반 사무직으로 발길을 돌렸다.

스물두 살이 된 혜인은 마침내 회사 최종 면접에 합격했다. 소식을 들은 부모님은 그녀보다 기뻐했다. 그 모습을 바라보던 혜인은 탄 원두의 향을 맡는 듯했다. 주체가 오빠라면 늦더라도 대학교는 꼭 가야 한다고 했을 부모님이 그려졌기 때문이다. 여태 축적된 감정과 씁쓸한 생각이 만났다. 그것은 꼬리에 꼬리를 물고 이어져 그녀 하나쯤 가족 구성원에서 사라져도 되겠다는 결론이 났다.

회사는 호락호락하지 않았다. 당연한 결과였다. 사회는 전쟁터고 누가 누가 더 좋은 무기와 갑옷을 들고 뛰어들었나 겨루는 곳이다. 무장한 이들 사이에 혜인은 겨우 고졸이라는 학력과 자격증 몇 개만 들고 선 꼴이었다. 어떻게든 살아남아야 했다. 디자인 팀에 속한 그녀는 쇼핑몰 상세 페이지 제작을 맡았다. 요즘은 신입사원이랍시고 커피 심부름, 단순한 서류 복사처럼 일명 '잡일'을 시키는 회사가 많이 없어졌다고 한다. 하지만 혜인은 입사 후 일주일도 채 지나지 않아 알 수 있었다. 아직도 많은 곳에서 이런 단순 업무를 신입사원이 도맡아 하고 있다는 것을. 혜인은 상세 페이지 제작만으로도 매우 힘들고, 버거웠다. 그래도 당연하다고 생각했다. 신입이니까 잡일을 도맡는 데에 불만을 품거나 귀찮다고 생각하지 않고 최선을 다해 임했다.

늘 제시간에 타는 버스는 그날따라 승객이 가득했다. 승객을 더 이상

실을 수 없다는 판단 때문인지 기사님은 정류장을 그대로 통과했다. 결론적으로 혜인은 다음 버스를 탔고 여느 때보다 늦게 도착했다. 신입이었던 그녀는 엘리베이터를 기다릴 여유 없이 헐레벌떡 계단을 뛰어 겨우 지각은 면할 수 있었다.

"십분 있다가 회의실로 모이세요!"

과장의 목소리가 날아와 꽂혔다. 지각이 아니라는 생각에 안도하며 가쁜 숨을 고르던 혜인은 이마를 짚었다. 팀원들의 커피를 위해 카페가 있는 일 층으로 다시 내려가야 했기 때문이다. 법인카드를 손에 쥐고 일어나는 혜인 앞으로 입사 동기인 경효 씨가 그녀를 지나쳐 갔다. 별다른 곳에 들리지 않고 도착한 곳은 회의실이었다.

혼자 카페에 온 혜인은 주문하는 내내 형용할 수 없는 감정에 휩싸였다. 왜 입사 동기면서 심부름은 함께 하지 않는지, 아무나 붙잡고 묻고 싶었다. 치미는 감정은 곧 있을 회의 때문에 소강이었다. 당장은 회의에서 자기 브랜딩 방법을 강구 할 차례다. 내년에 협업이 예정된 액세서리 브랜드가 갑작스레 일정을 앞당기는 바람에 급히 잡힌 회의였다. 신입으로 입사하고 처음 참석하는 중요한 자리이기도 했다. 직원들의 취향이 가득 담긴 커피를 양손에 받아 들고 발표할 의견을 되뇌었다.

회의실에 들어가니 경효 씨가 프로젝터를 연결하고 있었다. 모 대학교 디자인 학부를 졸업한 뒤 경력을 쌓기 위해 입사했다고 한다. 같이 일하다 보면 예술적 감각이 있는 사람임을 알 수 있었다. 배울 점이 많았으나 입사 동기라는 타이틀 때문에 주눅 든 적이 많았다. 혜인도 빠르게 점심시간 전 미리 프린트한 자료를 자리에 올려두었다. 길쭉한 테이블 위에 자료가 차곡차곡 놓일 때마다 긴장으로 입안이 바싹 말랐다. 두 시가 되자마자 팀원들이 들어와 착석했다. 마지막으로 이사님이 착석하고 첫 안건이 발표되었다. 홍보 시 소개할 캐릭터 디자인에 대한 것이었다. 이미 해당 브랜드를 대표하는 기존 캐릭터가 있었지만, 협업을 진행하는 만큼 이목을 집중시킬 캐릭터가 하나 더 있었으면 좋겠다는 브랜드 측 요구가 있었다. 한참 무거운 분위기로 이어지던 회의는 팀장님의 질문으로 환기되었다.

"우리 경효 씨의 신입다운 생각을 들어볼까요?"
"이 브랜드는 고급스러운 이미지를 가지고 있습니다. 하지만 초반 마케팅에 고급화 전략을 과하게 소비한 나머지 쉽게 손을 뻗기 꺼려지는 브랜드입니다. 따라서 새로운 캐릭터에는 2030에게 유행하는 포인트를 주어 접근성을 높이면 좋을 것 같습니다."

경효 씨는 인기 아이돌 의상 자료까지 준비했다. 발표는 끝없이 이어졌다. 팀장님은 혜인에게 구태여 질문하지 않았기에 준비한 답변은 할 수 없었다. 경효 씨의 발표가 끝나고 회의는 사진과 구도로 흘러갔다. 이내 회의는 끝이 났다. 혜인은 늪에 빠진 기분으로 자리에서 일어섰다. '혜인 씨, 수고했어요.' 과장님이 나가면서 가볍게 어깨를 감쌌다.

친절하지만 무관심한 사람들 사이에서 그녀는 고개 숙여 인사했다. 발이 움직여지지 않았다.

남은 오후 시간에는 업무에 제대로 집중할 수 없었다. 그저 집을 나서기 위해 입사를 선택한 것이 한심하게 느껴지기까지 했다. 회의실에서 경효 씨가 보여준 모습은 확실히 자신이 원하는 일을 하고 있다고 느끼게 했다. 혜인은 만약 자신도 원하는 일을 했다면 남들에게 저런 모습으로 보였을지 상상해 보았다.

혜인은 오후 내내 멍한 모습이었다. 업무는 하는 둥 마는 둥, 머릿속으로는 지금과 다른 자신을 그려보았다. 손님들을 위해 직접 음식을 조리하고, 커피를 내리고, 칵테일을 제조하는 모습이 순서대로 떠올랐다. 퇴근이 얼마 남지 않은 시각, 전화벨이 울렸다. 발신자는 엄마였다. 그녀의 엄마는 늘 그랬듯 가벼운 안부 인사로 시작했다. 언뜻 들으면 걱정이지만, 혜인은 이제 그 전화가 더 이상 자신을 위한 전화가 아님을 안다. 예상대로 오빠가 끼니를 잘 챙겨 먹는지, 청소는 잘하는지 모르겠다는 내용으로 넘어갔다. 연락을 영 안 받으니 가서 이것저것 챙겨 주길 바라는 말을 남매의 우애로 얼버무렸다. 혜인이 힘들었던 오늘, 엄마마저 오빠가 걱정돼서 전화한 것을 깨달았을 때 그녀는 알 수 있었다. 집을 벗어났다고 완전한 자립이 아님을. 혜인은 집을 나섰지만, 또 다른 어항 속에 들어온 것과 다를 바 없었다.

겨우 샤워를 마친 혜인은 저녁도 먹지 않고 그대로 잠에 들었다. 다음 날 아침, 눈이 퉁퉁 부은 것은 잠들기 직전까지 계속 울었던 탓이었다.

오늘은 퇴근 후 저녁 약속이 잡혀있었다. 거울 앞에서 잠시 속상한 마음이 들었으나, 황급히 고개를 저었다. 어디서 툭, 툭 부딪히는 소리가 들렸다. 불규칙적으로 부딪히는 소리에 혜인의 어깨가 바짝 올라갔다. 그녀는 잔뜩 긴장한 고양이처럼 몸을 굳히고 고개만 천천히 돌렸다. 혼자 살다 보면 작은 소음에도 꼭 원인을 찾아야 마음이 편안해지고는 했다. 소리를 따라 집안 이곳저곳을 훑던 혜인의 눈동자가 어항에서 멈췄다. 물고기가 어항 밖으로 나가기 위해 수조의 뚜껑과 부딪히는 소리였다. 이유를 찾은 혜인은 저도 모르게 긴 한숨을 내쉬었다.

"너도 여기가 답답해?"

혜인은 어항으로 가까이 다가갔다. 왠지 시클리드가 안쓰럽게 느껴졌다. 어항 밖을 나오면 더 넓은 세상을 경험할 수 있을 텐데. 저도 모르게 그런 생각도 했다. 움직임을 가만 바라보던 혜인이 어항에 조심히 손바닥을 댔다. 빠르게 헤엄치던 시클리드가 손바닥이 있는 곳으로 가까이 다가왔다. 시클리드는 처음 자취를 시작하고 생긴 가족이었다. 그만큼 혜인이 정성을 다해 돌보고 있었다. 다만 시스투스는 원체 빠른 속도를 자랑한다. 명성에 걸맞게 종종 수조에 덮어둔 뚜껑을 건드려 걱정이 이만저만이 아니었다. 수질이 좋지 못한 경우, 짝짓기 시기 중 암컷이 쫓기는 경우, 수위가 높은 경우라는데 아무리 생각해도 해당하는 사항이 없었기 때문이다. 희한하게도 시클리드는 혜인이 현실적인 벽에 부딪혀 침몰하고 있을 즈음 뚜껑을 치고는 했다.

탈출

혜인은 퇴근 후 근처 양식집으로 향했다. 오랜 친구인 우연과 정주가 먼저 도착했다는 연락을 받았기에 더 서둘렀다. 초등학생 시절부터 함께한 이들은 서로에게 꼭 필요한 존재였다. 오늘도 둘의 배려로 혜인의 회사와 가장 가까운 곳이 약속 장소가 되었다. 오랜만에 보게 될 얼굴들을 차례로 떠올렸다. 우연은 초등학교 입학과 동시에 꼭 붙어 다녔고, 정주는 비교적 늦게 친해졌지만, 배려심 많고 생각이 깊어 삼 남매 장녀답게 혜인에게 고민이 있거나 힘든 일이 있을 때마다 큰 힘이 되어 주어 금방 친해진 친구였다.

오래간만에 만난 친구들과의 저녁 식사는 즐거운 시간이었다. 혜인은 근래 들어서 늘 숨 막히는 긴장감에 살얼음판을 걷는 듯했다. 누구보다 숨 쉴 곳이 필요했던 혜인에게 친구들이 주는 익숙함은 그녀를 무장해제 시키기에 충분했다. 혜인은 회사에서 받았던 은근한 차별과 일의 고단함을 털어놓았다. 우연과 정주는 대학생이었지만 혜인의 입장에 맞춰 끊임없이 공감하며 위로의 말을 건넸다. 분위기가 무르익자, 아까부터 조용히 말을 듣고만 있던 정주가 조심히 창업 이야기를 꺼냈다. 창업이라니 정말 뜻밖의 이야기다. 정주는 대학에서 디자인을 전공하고 있었다. 그랬던 그녀가 작년부터 생각만 해오던 창업을 하게 되었다고 한다. 과감히 무점포로 시작했다는 말은 혜인 스스로 얼마나 우물 안 개구리였는지 깨닫게 했다. 혜인은 계기를 물었다.

"우리 남매 세 명이야. 내가 하고 싶은 일 하면서 부모님의 부담을 덜 수 있는 일이 뭐가 있나 생각했지."

책임감 강한 정주답다고 생각했다. 자본이 적은 학생 입장이니 초기 자본이 거의 들지 않는 방향을 물색한 것이다. 정주는 창업지원센터의 도움을 받아 지난달부터 손재주를 활용한 공예를 하고 있었다. 수업과 병행하며 쉽지 않았을 텐데도 설명하는 정주의 눈이 반짝이고 있었다. 혜인은 그 눈빛을 눈에 담았다. 같은 눈빛을 가진 누군가가 생각난다 싶더니, 다름이 아닌 경효 씨였다. 호기심을 이기지 못하고 우연이 연속해서 질문하자 정주는 막힘없이 대답했다. 자신에 찬 당당한 모습은 혜인이 평소 생각 해오던 '어항 밖 물고기'였다.

창업은 돈 있고 독창적인 사업 아이템이 있는 사람만 한다고 생각했다. 그런데 가까이 있는 정주가 꿈을 찾아 뛰어들었다. 혜인은 아직도 열띤 대화를 나누는 우연과 정주에서 창가로 고개를 돌렸다. 레스토랑 창문 속에 생기라고는 하나 없는 무채색의 자신이 있었다. 지치고 시들어 있는 혜인의 맞은편에는 반짝이는 정주가 있었다. 새삼 더 대단해 보였다.

"혜인아, 너 외식산업과 준비하면서 자격증 많이 땄지?"

"그랬지, 뭐. 조주기능사, 바리스타, 제과제빵도."

불과 몇 년 전, 대학을 준비하며 취득한 자격증이다. 혜인은 과거의 열정적인 모습이 생각나 쓴웃음 지었다. 그때였다. 정주는 혜인에게 창업해 볼 생각이 없는지 물었다. 사정은 알지만, 일찍이 꿈을 내려놓은 이후 웃는 모습을 보기 어려웠다고 덧붙인다. 우연도 거들었다.

"준비된 사장님이 여기 있었네!"

어항 밖 물고기

그날 이후 혜인의 꿈은 무려 사장님이 되어있었다. 창업에 필요한 교육이나 창업 자금, 대출까지 구체적으로 알아보았다. 혜인은 본가를 떠올렸다. 이제 겨우 자리를 잡아가는 상황에 손을 벌리고 싶지 않았다. 선뜻 결정을 내리기 힘들어하는 혜인에게 정주는 늦게 시작하더라도 교육부터 들어보고, 적성에 맞는지 알아보라 권했다. 마음을 다잡은 혜인이 교육 날짜를 고민할 무렵 과장님과 상담이 이루어졌다. 경효 씨가 새로운 프로젝트를 맡았단다. 이를 적극 도우라는 말이 이어졌고 혜인의 많은 것을 무너뜨렸다.

혜인의 팀은 그날부터 야근이 끊이지 않았다. 몸과 마음에 여유가 사라지자, 자연스레 창업에 대해, 꿈에 대해 고민하던 일도 서서히 묻혔다.

그리고, 묻어둔 꿈은 생각지도 못한 장소에서 파헤쳐졌다. 지친 팀원들을 위로한다는 명목의 회식이 잡힌 것이다. 혜인은 눈치껏 집게와 가

위를 들고 열심히 고기를 구웠다. 과장님은 술에 잔뜩 취해 아무렇게나 떠들어댔다. 원래 그런 인간이라 생각하던 혜인의 귀에 자신의 얘기가 들려왔다. 과장님은 혜인 씨가 타는 커피가 얼마나 맛있는지 아냐고 운을 뗐다. 건너편 테이블에서 취한 누군가가 혜인 씨 자격증 있어서 그런 것 아니냐 받아쳤다. 고작 물과 커피 믹스를 휘휘 저어 건넨 종이컵을 두고 말이다. 혜인은 웃음조차 나오지 않았다. 복사도 깔끔하게 잘한다, 회의 시간에 회의 진행이 빨라졌다, 싹싹한 게 성격이 마음에 든다…….

어느새 대화의 중심은 혜인이 되어있었다. 원치 않던 주목이었다. 슬쩍 대화 주제를 바꾸려던 혜인은 순간 멈출 수밖에 없었다. 우리 회사처럼 학력 상관없이 승진하는 회사 드물다는 말이 날아와 꽂혔기 때문이다. 평소 들은 적 없는 칭찬 세례가 승진을 염두에 둔 것이었는지 착각할 뻔했다. 조금만 생각해 보면 칭찬이 아님을 금세 알 수 있는데도 말이다.

과장님은 일에 대한 견해를 물을 때 늘 경효 씨를 향했다. 혜인의 실적이 좋은 것은 별개의 일이었다. 프로젝트만 해도 적극 지원할 테니 필요한 게 있으면 언제든지 말해 달라고 했다. 혜인은 아무리 열심히 해도 넘지 못할 벽이 존재함을 느꼈다.

회식을 마치고 돌아온 혜인은 울지 않았다. 그저 맞지 않는 옷을 억지로 껴입으려 한 자신을 되돌아보았다. 그때, 또다시 툭 툭. 수조 뚜껑과 시클리드가 부딪히는 소리가 나는 게 아닌가. 혜인의 시야에 들어온 시클리드의 행동은 마치 좁은 수조가 답답하다고 외치는 듯 보였다. 혜인은 가까이 다가가 시클리드와 눈을 맞추었다. 뚜껑을 치기 위해 애쓰는 시클리드가 자신과 겹쳐 보였다. 아무리 애를 써도 한계에 부딪히는 현실이었다. 혜인은 홀린 듯 뚜껑을 열었다. 튀어 오를 조짐이 보이면 막을 생각이었다. 하지만 시클리드는 뚜껑이 사라져도 열심히 헤엄칠 뿐이었다. 물이 조금 뿌옇게 느껴졌다. 뚜껑도 열었겠다, 물갈이라도 하면 좋겠다는 생각이 들었다.

혜인은 어항을 들고 화장실로 향했다. 비좁은 화장실 안에서 어항의 위치는 뚜껑이 닫힌 변기 위였다. 구석에서 족욕 할 때 쓰는 대야도 꺼냈다. 대야에 물을 받으며 혜인은 골똘히 생각에 잠겼다. 맞지 않는 옷을 벗으면 한결 가벼워질 테다. 하지만 책임 또한 그녀의 몫이었다. 환수를 위해 시클리드를 제외한 구조물을 꺼냈다. 어항은 한결 넓어졌지만, 시클리드에게 여전히 어항 속이 답답하게 느껴졌다. 물을 받는 동안 구조물을 씻는데 무언가 퐁당 하는 소리가 났다. 급히 혜인이 뒤를 돌았을 때는 기어이 시클리드가 어항에서 튀어 오른 이후였다. 시클리드가 떨어진 곳은 다행히 물을 받던 대야였다. 어항보다 훨씬 넓은 시클리드는 걸릴 것 없다는 듯 편안하게 헤엄쳤다. 어항 밖으로 나오면 물고기는 그저 죽는다고 생각했다. 그런데 시클리드는 새로운 방법을 찾아 뛰어들었다. '나도 더 큰 세상에서 헤엄칠 수 있을까?' 그렇게도 나지 않던 용기가 생기며 가슴이 뛰었다. 어항 밖을 유영하는 시클리드가 혜인에게 확신을 준 셈이었다.

파도의 포말이 햇빛을 받아 더욱 생동감 있게 움직였다. 적당히 주변 소음을 막아주는 바닷바람을 맞으며 혜인은 가방 속 하얀 봉투에서 종이 한 장을 펼쳐 들었다. 손에 들린 사직서 너머로 바닷물이 일렁였다. 어항 밖을 나온 혜인이 새로운 숨을 채울 차례다.

시스투스의 꽃말

발행 2024년 07월 19일
지은이 단비
디자인 조효빈
펴낸이 정원우
펴낸곳 글ego
출판등록 2019.06.21 (제2019-000227호)
주소 서울특별시 강남구 강남대로 118길 24, 3층(논현동)
이메일 writing4ego@gmail.com
홈페이지 http://egowriting.com
인스타그램 @egowriting

ISBN 979-11-6666-528-8